de Ryckel, Agnès
    Zizosaurio - 1a ed. - Buenos Aires : Unaluna, 2010.
    28 p. : il. ; 21,5 x 25,5 cm.
    Traducido por: Jeannine Emery
    ISBN: 978-987-1296-69-9
       1. Literatura infantil Belga. I. Jeannine Emery, trad. II. Título
    CDD B840.928 2

Título original: *Ziezozaurus*

Texto e ilustraciones: Agnès de Ryckel

Traducido por: Jeannine Emery

ISBN: 978-987-1296-69-9

Publicado originariamente en Bélgica y Holanda en 2007 por
Clavis Uitgeverij, Hasselt-Ámsterdam.

Texto e ilustraciones © 2007 Clavis Uitgeverij, Hasselt-Ámsterdam.

© 2010 Unaluna
© 2010 Editorial Heliasta SRL

Distribuidores exclusivos: Editorial Heliasta SRL
Juncal 3451 (C1425AYT) Buenos Aires, Argentina
Teléfono - Fax: (54-11) 4804-0472 / 0119 / 8757 / 0215
editorial@unaluna.com.ar / www.unaluna.com.ar

Queda hecho el depósito que establece la Ley 11.723.
Libro de edición argentina.
Impreso en China, febrero de 2013.

Agnès de Ryckel

ZIZOSAURIO

unaLuna

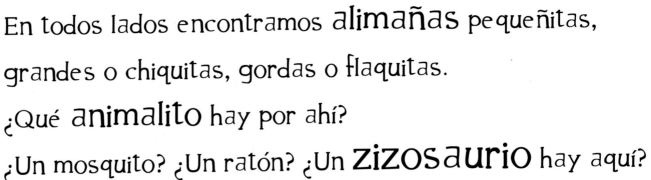

En todos lados encontramos alimañas pequeñitas,
grandes o chiquitas, gordas o flaquitas.
¿Qué animalito hay por ahí?
¿Un mosquito? ¿Un ratón? ¿Un zizosaurio hay aquí?

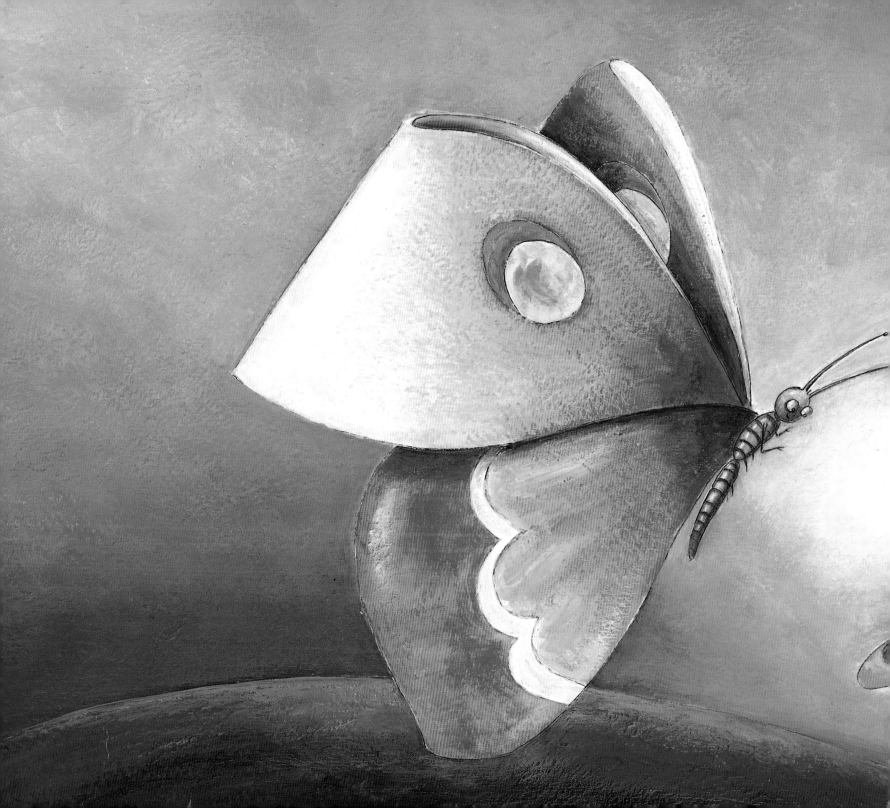

Un barco de vapor solitario navega por el océano.

¿Solitario? ¿O hay alguien que nada debajo?

¿Un pez enroscado? ¿Una babosa de mar? ¿Un delfín extraño?

¿Será el zizosaurio un animal huraño?

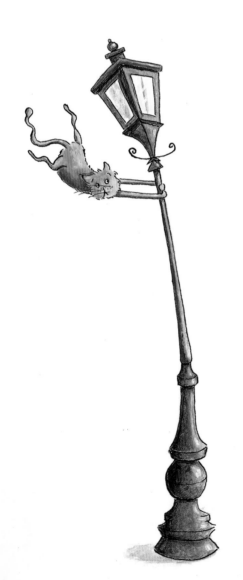

¿Alguien vio a un zizosaurio alguna vez?

¿Será un bicho con alas y de color azabache su tez?

¿Será un paraguas que se eleva hacia el cielo?

No hay tormenta de viento que detenga su vuelo.

Si observas con atención, verás animales que se arrastran o vuelan.

No, tus ojos no te engañan.

Mira por donde caminas.

¿Tendrá lunares o rayas el zizosaurio?

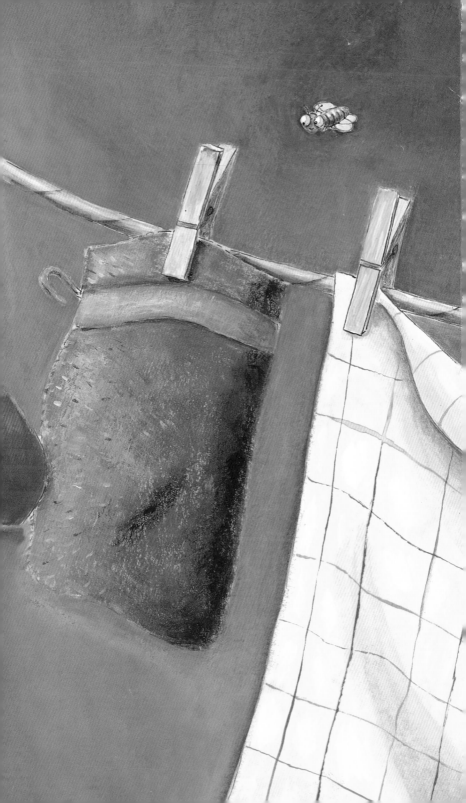

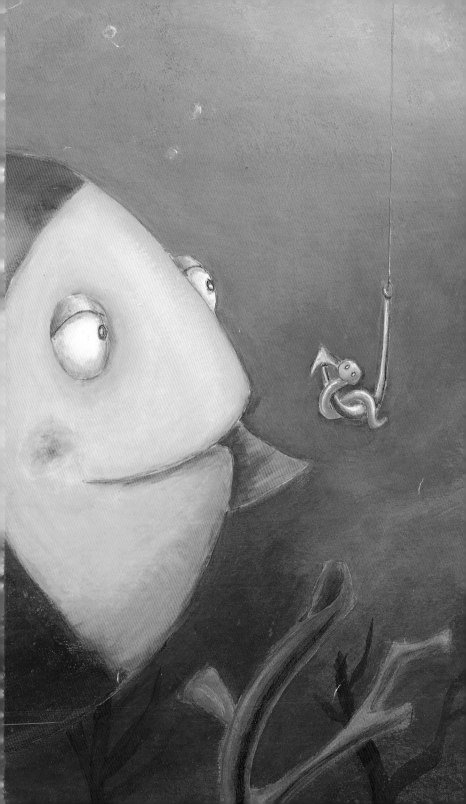

En el **jardín**, las musarañas se arrastran.

Una gran **fiesta** celebran al sol.

Les encanta que las rocíen con agua.

¿A los **zizosaurios** les gusta irse a dormir?

Ya sé: un zizosaurio tiene un cuello largo.

¡Un mechón de pelo! ¡Una joroba! Un enorme pico...

Deja que tus sueños vuelen como un globo.

¿El zizosaurio vive en la oscuridad o sale con el sol?

¿Lleva el **zizosaurio** calcetines sucios?

¿Le gusta quedarse en cama, con el entrecejo fruncido?

¿O es demasiado gracioso, demasiado **dulce**?

¿Un amigo grande, un monstruo colorido?

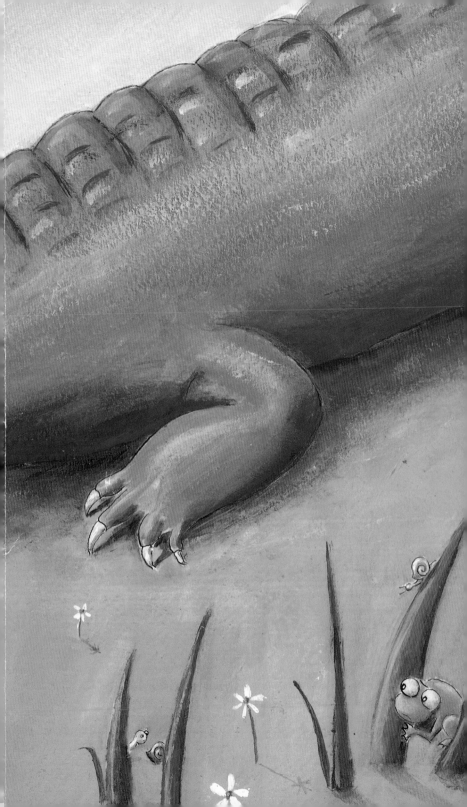

Zizosaurio, ¿dónde estás?

Salió la luna, ¿y tú vendrás?

¿Estás nadando en el cielo nocturno?

¿O cerraste los ojos, y despediste al mundo?

En la tibia **arena**, hay animales muy raros.

Uno es un barco, otro un salvavidas.

¡Pero tampoco aquí vemos al **zizosaurio**!

¿Prefiere, tal vez, las **montañas** altivas?

Ya se hace tarde, **zizosaurio,** querido.

Dudo de que existas realmente.

¿O debo esperar todavía?

Tal vez **aparezcas** algún día.